D0610925

IL Y A DES ROYAUMES

DU MÊME AUTEUR

Une poésie en devenirs, essai, Trois-Rivières, les Écrits des
    Forges, coll. «Les Estacades», 1983.
Voix d'écrivains, entretiens, Montréal, Québec/Amérique,
    coll. «Littérature d'Amérique», 1985.
Lignes de nuit, fiction poétique, l'Hexagone, 1987.

GÉRALD GAUDET

Il y a des royaumes

fiction poétique

l'HEXAGONE

Éditions de l'HEXAGONE

900, rue Ontario est
Montréal, Québec H2L 1P4
Téléphone : (514) 525-2811

Maquette de couverture : Claude Lafrance
Photo de l'auteur : Jean-Jacques Ringuette

Photocomposition : Jean-Claude Lespérance

Distribution : Diffusion Dimédia Inc.
539, boulevard Lebeau
Ville Saint-Laurent, Québec H4N 1S2
Téléphone : (514) 336-3941; télex: 05-827543

Distique
17, rue Hoche, 92240 Malakoff, France
Téléphone : 46.55.42.14

Dépôt légal : premier trimestre 1989
Bibliothèque nationale du Québec
Bibliothèque nationale du Canada

IL Y A DES ROYAUMES
QUI NOUS SONT
À JAMAIS INTERDITS

1

Aucun happement, pas même une impression légèrement fixée à la surface du monde – on est trop loin des draps défaits. Toute une nuit, dans les flancs, à organiser la vision, à soutenir les confidences. On se dit qu'on s'aime, on doit se contenter de la somme des indices, puis la douleur, muette, en vient à se saisir des lames. La mémoire devrait brouiller le sens, le déchirer tout contre une résolution affectueusement tendue avant que le geste ne se défasse à même les évanouissements de la vague.

3

La cérémonie des… Est-ce bien la façon ? Est-ce bien la manière de danser après le meurtre quand ne reste plus qu'un chant vif, trop présent, à entendre comme une maladie après l'amour ? C'est plus bas, ça n'a pas de nom. Cela fait des grimaces avec tout juste de l'impatience sous le muscle. Comment y mettre fin pour l'amener tout près du bord et chavirer avec elle ? On est si peu versé dans la stratégie.

5

Douleur et banalité de la douleur. La poitrine accueille la noirceur, ma main recueille les larmes. As-tu de la chance ou viens-tu de dévorer l'âme des fantômes? Es-tu homme à sombrer sous les exils des navires barricadés? Le ciel aura des comptes à rendre et disparaîtra comme toujours vers les routes d'eau. Cependant, avec la plus grande témérité, nous nous fracasserons encore le crâne contre les écrans.

6

Retombe le bras. Le dos se détache de l'origine, les restes préservent l'avenir, l'atmosphère, le cahier des imprudences. L'intelligence se montre, revient, infatigable, comme un fantasme dans l'œil d'une flaque d'eau. On retrouvera l'émotion la fois suivante, puis on la perdra comme toujours tout près des tempes. On demeurera intouchable avant même que la vague ne se soulève une fois de plus.

J'ai beau dissoudre l'écho, encadrer les sourires, briser la mémoire des violences, il n'y a plus de rumeur pour me dire l'effet des gouttelettes noires sur la terreur des paumes. On n'attend plus rien, on désapprend à vivre, mais le corps se soulève un peu. Cela ne regarde que lui.

JE NE SAVAIS PAS
QUE L'AMOUR
RENDAIT SI FRAGILE

2

Et cette demande d'amour, trop visible, trop risible, quand l'illusion scrute les hésitations, que la tristesse surveille l'oubli : presse les nerfs, les égare comme un bouquet par-delà l'intimité convulsive des repères. Malgré tout, tu glisses ta main, réchauffes l'oreille, et les ombres partagent leurs souvenirs pour entrer dans l'extraordinaire comme seul le hasard peut le faire quand tes yeux se font graves et précis.

4

Là où l'inquiétude traversait la passion, il n'y avait plus
qu'à marcher. Dorénavant le vacarme des peurs, des
fréquences et des arrachements. Et nos voix dansantes, le
corps mieux qu'une rumeur, la silhouette reformée dans
l'ombre. Et cette panique à incendier les égouts avant de
cracher l'inévitable clôture. De nouvelles ferveurs se
joignent aux lèvres qui désertent les pistes.

5

En hoquets, si près du centre de haine, il y avait tant de certitude dans l'amour. Mais tant de cumuls, d'inversions et de déficits. Tant de stratégies. Et notre «moment définitif», et le tracé des parfums dans la main, le sourire dans l'œil… Le passé rend fragiles nos voix dansantes, encore trop solitaires. Cette opaque mouvance délestée de toutes les ruses du sentiment.

8

Ton rire a du goût sur mon ventre quand il me rejoint dans ton œil gauche et se transporte sous les chatoiements. Les soupirs désertent les pages et coulent dans l'imaginaire travail des anatomies avant de trahir les mouvements de la vague et des convulsions où se cognent les passions. L'intelligence désespère. Déjà, tu me mentais.

9

Il ne s'agit que de fredonner à travers la pièce avant de détailler les parcours que ma propre histoire ignore tout contre l'épaule, sans pour autant déguiser le mobile et imaginer des profils et des bruissements. Seule, la douceur tremble et rend frivole la réponse dans l'évidence de l'amour. Et pourtant la tristesse mange les atomes, une langue dérobe nos images, la passion fait des vagues.

11

On entend poursuivre les opérations. Pourquoi faudrait-il renoncer à la guerre? On s'en moque, on se retrouve dans une idée folle. Le malheur se désordonne, la position fragile des apparences ranime dans son dégoût la fresque. On entend la vision neutre, à peine recouverte dans l'ombre, avant de trébucher contre une sensation nerveuse, s'éparpillant d'effroi.

LA POUSSIÈRE
QUE SOULÈVE LE HASARD

1

À ce point incompréhensible de la douleur, il ne s'agit que de quelques heures dans une chose effacée, des terreurs ridicules, une tristesse de plus à éparpiller. La connivence est sans doute une forme dangereuse, une imposture dans le glissement boulimique des douceurs : tout s'enflamme et se déboîte en une matérialité si coincée dans cette histoire.

2

Si, de jeu en artifice, je m'abîme au défaut du regard, le désir n'aura de précision que dans une alarme accordée à cette donnée brutale d'un chatoiement, ma chair avalant le destin jusque dans la phrase qui s'emmêle au défi de vider le signe secret de l'insensé. Il me faudrait écrire l'horizon anonyme de la séduction, ses transactions aveugles, ses exécutions hallucinées.

3

Est-ce en secret que les albums vont me donner coulantes et visibles les zones que ne livre plus la mémoire au milieu des ressacs ? Le cœur pressent la falaise. Le temps, comme un filet de vie, s'égare et la nuit me rend le cerceau à partir des masques où ragent l'habitude et la déperdition des voies. Les lignes sur la paume imaginent la lèvre et l'eau.

5

Toute maladresse me démolit et brûle l'enfance obstinée
devant l'esquive et les cruautés centrales. Car la démesure
fait mal parfois quand elle remanie les enjeux et poursuit
trop nerveusement la passion dans ce qu'elle fut et
qu'elle ne peut plus être. Comment dissimuler l'affec-
tion pour ces signes que précisaient le voyage et l'éton-
nement? Je ne me savais pas aussi désespéré.

7

Au moment où les mots glissent sur la peau, le désir fascine comme une main qui s'insinue dans le sombre. Mais les profils qui se lèvent au bord du gouffre distribueront tôt ou tard leurs ravages comme un texte travesti par-delà les frottements de l'intelligence. Et l'anecdote retourne la voix avant même que l'œil ne refuse la suite.

9

Une souffrance décompose les pertes comme des ver-
sions que l'ombre affole et gêne quand la mélancolie se
lit étrangement à travers les harcèlements et les mesqui-
neries. Des visions d'horreur, avec un style qui insiste
dans le blâme et le mépris, poussent en éclats des traits
que mon visage ne peut plus ignorer dans l'impasse des
fragilités.

10

Du désir s'échappe le désir qui ne pourra jamais se faire aux pièges ni aux jalousies. Je reconnais la poussière que soulève le hasard quand je lui tourne le dos. Mais qui veillera ma plainte ? Je dormirai seul et nu sans que ma chair ne répande ses curiosités jusqu'au moment où la caresse réinventera une folie qui retrouvera tous ses droits dans les larmes.

11

Quand l'inquiétude se moule au silence, les sons du décor prélèvent la fuite convulsive aux soupirs de ce qui frémit dans l'intimité. Ma solitude sera bonne. Les images s'effaceront et déborderont du côté de l'intime. Violence souveraine. Cela intriguera comme d'habitude.

LES CORDES SENSIBLES

Pour Gaétan

D'abord   comme une envie de larmes
dans l'herbe du réveil
Matin crâneur pour une beauté étreinte
qui ne sait plus sa course

Le rattraper   s'égarer avec lui
au point le plus sensible

Ni poing où se pencher
sur ses illusions ni rumeur où glisser
intacts et ailés
dans le futur des mémoires

Un homme ouvre le livre
que l'on vient d'écrire
pleure
le récite comme une lente conversation

Au-delà
se découpe la patience du jour
dans la noirceur
J'attends encore l'effet
encore l'effet

Je réajuste l'image
pour la douceur de l'homme

Comment vérifier le détail des nerfs
la violence   le secret

Corps bloqués dans la syncope
Reliefs ponctués
par les cycles refaits
où planent les solfèges
des haleines
Musiques simples
qui rompent la caresse
trop vive

Je fixe l'impossible
Comme un art de se pencher

Défilé dans la main
qu'une poignée de sable
ramasse dans l'émeute

Les os se brisent

La mémoire s'excite
lente
à la vitesse des attentats
contre l'enfance

Une mémoire
se heurte à l'abandon   là
griffée par un détail obscène

un garçon pleure
cache son visage
hésite
entre la révolte et l'attendrissement

Comment pourrait-il
imaginer cet homme souriant
quand la danse
exécute
la folie de disparaître

Les sanglots se dévorent
dans la fascination
à travers le timbre cassé
d'une solitude
Inutile
comme la mélancolie
la fenêtre entre en moi
disparaît

Qui désire ainsi en moi

Au point le plus trouble
la magie fouille les images amères
Mais une constellation tout près de l'aine
rudoie l'intensité

Mémoire vomie dans une paume

au sein des nuits modernes
je déplace l'orage
dans la direction de l'étoile
je sors la fêlure du bercement
des dimanches laissés

au hasard des nuques
la lente apparition d'un sourire

Le hasard nous dépasse
et me rend fou
quand les ailes s'avancent
et
terrorisent la forme
au prix des extravagances
douces

Tout contre la radicalité d'un désir
il me faut inventer un rituel
l'oubli
pour *mon père*
si petit si blessé et si seul

TABLE

POÉSIE

Claude Péloquin, *Le premier tiers, œuvres complètes 1942-1975,*
    vol. 3
Pierre Perrault, *Ballades du temps précieux*
Pierre Perrault, *En désespoir de cause*
Richard Phaneuf, *Feuilles de saison*
François Piazza, *Les chants de l'Amérique*
François Piazza, *L'identification*
Jean-Guy Pilon, *Poèmes 71, anthologie des poèmes de l'année au*
    Québec
Louise Pouliot, *Portes sur la mer*
Bernard Pozier, *Lost Angeles*
Yves Préfontaine, *Débâcle* suivi de *À l'orée des travaux*
Yves Préfontaine, *Nuaison*
Yves Préfontaine, *Pays sans parole*
Daniel Proulx, *Pactes*
Raymond Raby, *Tangara*
Luc Racine, *Les jours de mai*
Luc Racine, *Le pays saint*
Luc Racine, *Villes*
Michel Régnier, *Les noces dures*
Michel Régnier, *Tbilisi ou le vertige*
Jean-Robert Rémillard, *Sonnets archaïques pour ceux qui verront*
    l'indépendance
Mance Rivière, *D'argile et d'eau*
Guy Robert, *Et le soleil a chaviré*
Guy Robert, *Québec se meurt*
Guy Robert, *Textures*
Claude Rousseau, *Poèmes pour l'œil gauche*
Claude Rousseau, *Les rats aussi ont de beaux yeux*
Jean-Louis Roy, *Les frontières défuntes*
Jean Royer, *Le chemin brûlé*
Jean Royer, *Depuis l'amour*
Jean Royer, *Faim souveraine*
Jean Royer, *Les heures nues*
Jean Royer, *La parole me vient de ton corps* suivi de *Nos corps*
    habitables
Daniel Saint-Aubin, *Voyages prolongés*

COLLECTION RÉTROSPECTIVES

Michel Beaulieu, *Desseins*, poèmes 1961-1966
Nicole Brossard, *Le centre blanc*, poèmes 1965-1975
Nicole Brossard, *Double impression*, poèmes et textes 1967-1984
Yves-Gabriel Brunet, *Poésie I*, poèmes 1958-1962
Cécile Cloutier, *L'écouté*, poèmes 1960-1983
Michel Gay, *Calculs*, poèmes 1978-1986
Roland Giguère, *L'âge de la parole*, poèmes 1949-1960
Jacques Godbout, *Souvenirs Shop*, poèmes et proses 1956-1980
Gérald Godin, *Ils ne demandaient qu'à brûler*, poèmes 1960-1986
Alain Grandbois, *Poèmes*, poèmes 1944-1969
Paul-Marie Lapointe, *Le réel absolu*, poèmes 1948-1965
Isabelle Legris, *Le sceau de l'ellipse*, poèmes 1943-1967
Olivier Marchand, *Par détresse et tendresse*, poèmes 1953-1965
Pierre Morency, *Quand nous serons*, poèmes 1967-1978
Fernand Ouellette, *En la nuit, la mer*, poèmes 1972-1980
Fernand Ouellette, *Poésie*, poèmes 1953-1971
Pierre Perrault, *Chouennes*, poèmes 1961-1971
Pierre Perrault, *Gélivures*, poésie
Alphonse Piché, *Poèmes*, poèmes 1946-1968
Fernande Saint-Martin, *La fiction du réel*, poèmes 1953-1975
Michel van Schendel, *De l'œil et de l'écoute*, poèmes 1956-1976
Pierre Trottier, *En vallées closes*, poèmes 1951-1986

COLLECTION PARCOURS

Claude Haeffely, *La pointe du vent*

ANTHOLOGIES

Laurent Mailhot, Pierre Nepveu, *La poésie québécoise des
    origines à nos jours*
Jean Royer, *La poésie québécoise contemporaine*

COLLECTION DE POCHE TYPO

1. Gilles Hénault, *Signaux pour les voyants*, poésie, préface de Jacques Brault (l'Hexagone)
2. Yolande Villemaire, *La vie en prose*, roman (Les Herbes Rouges)
3. Paul Chamberland, *Terre Québec* suivi de *L'afficheur hurle*, de *L'inavouable* et d'*Autres poèmes*, poésie, préface d'André Brochu (l'Hexagone)
4. Jean-Guy Pilon, *Comme eau retenue*, poésie, préface de Roger Chamberland (l'Hexagone)
5. Marcel Godin, *La cruauté des faibles*, nouvelles (Les Herbes Rouges)
6. Claude Jasmin, *Pleure pas, Germaine*, roman, préface de Gérald Godin (l'Hexagone)
7. Laurent Mailhot, Pierre Nepveu, *La poésie québécoise*, anthologie (l'Hexagone)
8. André-G. Bourassa, *Surréalisme et littérature québécoise*, essai (Les Herbes Rouges)
9. Marcel Rioux, *La question du Québec*, essai (l'Hexagone)
10. Yolande Villemaire, *Meurtres à blanc*, roman (Les Herbes Rouges)
11. Madeleine Ouellette-Michalska, *Le plat de lentilles*, roman, préface de Gérald Gaudet (l'Hexagone)
12. Roland Giguère, *La main au feu*, poésie, préface de Gilles Marcotte (l'Hexagone)
13. Andrée Maillet, *Les Montréalais*, nouvelles (l'Hexagone)
14. Roger Viau, *Au milieu, la montagne*, roman, préface de Jean-Yves Soucy (Les Herbes Rouges)
15. Madeleine Ouellette-Michalska, *La femme de sable*, nouvelles (l'Hexagone)
16. Lise Gauvin, *Lettres d'une autre*, essai/fiction, préface de Paul Chamberland (l'Hexagone)
17. Fernand Ouellette, *Journal dénoué*, essai, préface de Gilles Marcotte (l'Hexagone)
18. Gilles Archambault, *Le voyageur distrait*, roman (l'Hexagone)
19. Fernand Ouellette, *Les heures*, poésie (l'Hexagone)

Cet ouvrage composé en Times corps 12
a été achevé d'imprimer
aux Ateliers graphiques Marc Veilleux
à Cap-Saint-Ignace en février 1989
pour le compte des
Éditions de l'Hexagone

Imprimé au Québec (Canada)